高啟評傳

伯華題

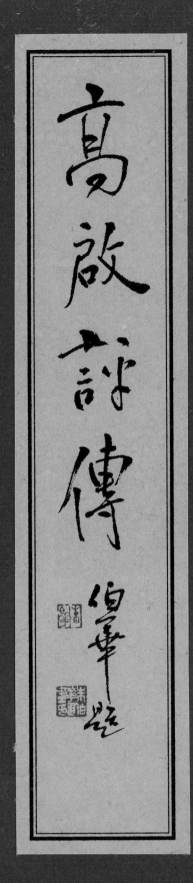

周金冠 著

高啓評傳

伯華 題

華寶齋書社

高啟評傳目次

高青丘祭

歷代封建統治者，對所謂『大逆不道』者往往處以腰斬的酷刑。而明初著名詩人高啓，雖已隱退，還是被開國皇帝朱元璋借故腰斬，死時年纔三十九歲，可謂是生於戰亂，死於冤案。一代奇才，就這樣夭折了，惜哉。

高啓（一三三六——一三七四）字季迪，號槎軒，又號青丘子，別號吹臺。長洲（今江蘇蘇州市）人。係出渤海，（高啓《贈銅臺李壯士》詩云：『我祖昔都鄴，神武為世雄。』《北史·齊本紀》：『齊高祖神武皇帝，姓高，諱歡，字賀六渾，渤海修人也。』）祖籍開封，後隨宋室南渡，家於臨安，（高啓詩有『我家本出渤海王，子孫散落來錢塘』句）元末浙中戰亂，遂避地吳門，卜居長洲北郭，和張羽、徐賁、王行、高遜志、宋克、唐肅、余堯辰、呂敏、陳則相鄰，時以詩文切磋，號稱『北郭十友』。明初，吳下詩人中，高啓與楊基、張羽、徐賁被推崇為『吳中四傑』，當時論者把他們與『初唐四傑』（王、楊、盧、駱）相比擬。元末群雄競起，各霸一方，張士誠據吳稱王，高、楊、張、徐也都應征出山，朱元璋統一全國後，建立朱明新政權，即位之初，廣攬人才，高啓于洪武二年（一三六九）不得不應詔赴金陵（今南京市）參加修《元史》，翌年史成，授翰林編修；七月，擢為户部侍郎，他以『逾冒進用』為辭而懇求辭官，允許後放歸田里。此前，在朱元璋破陳友諒時，貯其姬妾于別室，高作《宮女圖》詩云：『女奴扶醉踏蒼苔，明月西園侍宴回；小犬隔花空吠影，夜深宮禁有誰來？』朱元璋聞知以為諷刺他，這次又公開其不合作姿態，都為其今後被殺埋下了禍源。

他歸田後，雖然處處提防，多方韜悔，但於洪武六年（一三七三），蘇州知府魏觀（高啓的朋友）在張士誠遺址上修建府衙事被告發，又知其《郡治上梁文》為高啓所作，（此文未見傳録，其七言律詩《郡治上梁》見《高青丘集》）終於借題將高啓腰斬，時為洪武七年（一三七四年）之九月，年僅三十九歲。他實際生活在元末，在明代生活還不到七年。『吳中四傑』中没有一個能逃過朱元璋之殺戮，張羽投江，徐賁獄死，楊基輸作勞役死於貶所，而以高啓被禍最慘烈，據高啓門生吕勉言，高啓於解赴南京途中，『獨不亂，臨行在途，吟哦不絕，有「楓橋北望草斑斑，十去行人九不還」，「自知清澈原無愧，盍倩長江鑒此心」之句』。心裏是非常明白的。

他留下來的詩集，有《吹臺集》、《江館集》、《鳳臺集》、《婁江吟稿》、《姑蘇雜吟》等凡二千餘首，他生前自選的詩集《缶鳴集》十二卷，共録詩九百餘首；（也有寫：『得詩七百三十二篇』）；詞集《扣舷集》一卷；文集《鳧藻集》五卷。

高啓被毛澤東贊為『明朝最偉大的詩人』，實非虛語。先看他同時代的評語：王禕曰：『季迪之詩，雋逸而清麗，如秋空飛隼，盤旋百折，招之不肯下；又如碧水芙渠，不假雕飾，翛然塵外，有君子之風焉！』謝徽曰：『季迪之詩，緣情隨事，因物賦形，縱横百出，開合變化。其體制雅醇，則冠裳委蛇，佩玉而長裾也。其思致清遠，則秋空素鶴，回翔欲下，而輕雲霽月之連娟也。其文采褥麗，如春花翘英，蜀錦新濯。其才氣俊逸，如泰華秋隼之孤騫，昆侖八駿追風躡電而馳也。』李東陽曰：『國初稱高、楊、張、徐。高才力聲調，過三人遠矣。百餘年來，亦未見卓然有過之者。』

明末清初著名學者王夫之在《明詩評選》中則特别稱贊高啓，在高啓的《短歌行》後，他評云：唐以來不見樂府久矣，千年而得季迪，孰謂樂亡哉。』評其樂府之作，謂：『季迪樂府，起八百餘年之衰，得諸昭文之不鼓琴也。』對高啓的五言詩欽佩更甚，如評其《和友人過采石》為：『光不炫，巧不纖，千古一新，一新千古』。再評其另一首送友人詩後云：『如晴，如春，如仙樂自空中來，吾心折矣。』在評其七言詩中，對高啓的梅花詩後評曰：『真不愧作梅花詩，古今人擱筆可矣！』可以説已經到了無以復加的地步。

再看清代著名學者、詩人的評語，袁枚謂其『詩有音節清脆，如雪竹冰絲，自然動聽者，此皆由天分，非學力可到也，在明惟青丘一人而已。』趙翼曰：『青丘才氣超邁，音節響亮，宗法唐人，而自運胸臆，一出筆却有博大昌明氣象，亦關有明一代文運，論者推為明初詩人第一，信不虛也。』又曰：『歷觀宋、金、元、明諸家詩，有力厚太過者，有氣弱而不及者，惟青丘適得詩境中恰好地步，蓋其用力全在使事典切，琢句渾成，而神韻又極高秀。看是平易，實則洗練功深，此正是細膩風光，固不必石破天驚以奇傑取勝也。』故王士禎評定其為『明三百年詩人之冠冕。』

除詩文外，高啓的書法亦有可觀，見於他同時代書學理論家陶宗儀所著的《書史會要》；謂其『善楷書，飄逸之氣，入人眉睫，行、草入妙。』由於他在世時間太短，故存世之作甚少，據知主要僅有高啓行楷《題仕女圖詩》，（現藏故宫博物院）及楷書《定武蘭亭序跋》（已流入日本為高島菊次郎藏）及張雨《自書詩》的跋文（現藏吉林博物館）。還有刻在徐霞客紀念館晴山堂之書作（在江蘇江陰市馬鎮）等。予曾得其題趙孟頫繪馬圖之跋詩三首，（畫已損）為行草，瀟灑縱横，一氣而下，如劉熙載《藝概·書概》中謂：『胸中具有磅礴之氣』才能『腕間贍真實之力。』非大手筆不能為也，『行草入妙』，實非虛語。兹録其題畫馬詩三首，或可補其詩集之未載：

蕭蕭霧鬣與風鬃，撲面征塵一洗空；
相顧倍增神駿氣，恍疑初在渥洼中。

神駿飄飄得寸間，天池飛躍下塵巖；
青絲絡首誰收得，留與春風十二閑。（注：十二閑：即皇家之馬厩）

翠鬣朱纓骨相殊，貢來名重古單于；
唐韓宋李都休論，且看吴興此馬圖。

下署：『洪武三年十一月朔渤海高啓』

（注：唐韓：唐代畫馬名家韓幹。宋李：宋代畫家李公麟。吴興：指趙孟頫，他是吴興人，故稱。）

高啓在這三首詩中，把名馬的神駿和趙孟頫的丹青妙筆，活靈活躍的再一次展現了出來。

高啓擅詩、書、文外，是否還會繪畫，未見史傳，但從其詩集中《叢竹圖贈内弟周敬就題》内，似能繪竹，故有此作。茲録其題畫詩于下，聊作參考：『窈窕復蒙茸，千山萬竹中，幽人夜驚起，秋雨共秋風。』

詩人高啓遇難至今已有六百三十年了，當我懷者敬仰與不平的心境，撰寫此文時，惟恐有誤，茲敬以蘇淵雷先生《論詩絶句》中對其評論之詩為結語，以深切懷念這位死于非命的天才的傑出的詩人：

急退明時見未遲，英年卓举有難知。
如何嗚犢臨河嘆，却為深宫吠犬詩。
高詠梅花疑自許，仙才李白定同支。
可憐一曲青丘子，早凛危操入脆絲。

東越周金冠謹識

時二零零零年八月二十二日

二零零肆年六月又修訂

附：讀明李日華《味水軒日記》『萬曆四十一年（一六一三年）癸丑二月六日條』內載：『鄰人持高房山《雲山圖》一小幀，…題者四人』。第一題者即為高啓，全文如下：

『江籬漠漠水泠泠，林下幽人半掩扃。熟睡不知春雨過，起來雲外數峰青。渤海高啓題。』此亦可補高詩之佚篇。

高啟年譜

公元一三三六年　元順帝至元二年　丙子　高啓生

祖本凝，父一無，字順翁。（見錢塘高氏家譜）

高啓幼少孤。是年宿松地震山裂，秦州山崩，江浙大旱。

一三三七年　至元三年　丁丑　二歲

廣州增城朱光卿起義，稱大金國，年號赤符。陳州人棒胡聚衆在信陽州起義，破歸德府鹿邑。合州大足韓法師起義，稱南朝趙王。

元政府禁漢人、南人執兵器；有馬者繳官；有禁止學習蒙古、色目文字。

詔令省、院、臺、部、宣尉司、廉訪司及部府幕官之長，均用蒙古、色目人。

是年汴梁蘭陽、尉氏二縣和歸德府河溢。京師、河南先後地震。

一三三八年　至元四年　戊寅　三歲

是年袁州(今江西宜春)慈化寺僧彭瑩之徒周子旺起義，稱周王。

漳州路南勝縣民李志甫起義，圍漳州城。

山東、河南、徐州等十五州縣河決。

奉聖州(今河北涿鹿)、宣德府(今河北宣化)相繼大地震。震動京師。

一三三九年　至元五年　己卯　四歲

是年河決濟陰。

一三四〇年　至元六年　庚辰　五歲

脱脱為中書後丞相，詔復行科舉。

一三四一年　至正元年　辛巳　六歲

湖南道州蔣丙等起義，後稱順天王。

山東大饑，燕南亢旱，饑民反抗三百多起。

一三四二年　至正二年　壬午　七歲

依詔舉行科舉。

慶遠路(今廣西宜山)莫八起義。

歸德府睢陽縣河患，翼寧路平晉縣(今太原南)地震。

濟南及廣東惠州羅浮山崩。

京師地震。

一三四三年　至正三年　癸未　八歲

命修遼、金、宋三史，以中書左丞相脱脱為都總裁官。

書畫家柯九思卒(一二九〇——一三四三)

一三四四年　至正四年　甲申　九歲

《遼書》成書，脱脱辭中書右丞相。

揭傒斯逝(一二七四——一三四四)。著有《揭文安公全集》。

是年，河决曹州，又决汴梁，水勢漫沿曹、濮、濟、兖均受災。温州海溢、地震。眥州蒙陰地震。漢陽及東平地震。

一三四五年　至正五年　乙酉　十歲

《金史》、《宋史》成書。

是年河决濟陰，房屋幾全被漂没。

一三四六年　至正六年　丙戌　十一歲

山東、河南、廣西等地群衆起義，後發展至濟寧、滕、邳、徐州等地。

是年山東地震。

遼陽吾者野人及水達達起義。福建汀州羅天麟等起義。武岡傜民吴天保起義。

一三四七年　至正七年　丁亥　十二歲

長江沿岸發生群衆起義。

河東地震。

一三四八年　至正八年　戊子　十三歲

台州黄岩方國珍起事，聚衆海上。

學者虞集卒（一二七二——一三四八），著有《道園學古録》。

一三四九年　至正九年　己丑　十四歲

脱脱復任中書右丞相

山西平遥等地發生曹七七起義。

一三五〇年　至正十年　庚寅　十五歲

『少警敏力學，遂工詩』。（見李志光《凫藻集本傳》）

物價高漲十信，各地多以物易物。

方國珍攻温州。

一三五一年　至正十一年　辛卯　十六歲

因家北郭，與徐賁、高遜志、唐肅、宋克、余堯臣、張羽、呂敏、陳則等共相唱和，號『北郭十友』。

『性警敏，書一目即成誦，久而不忘，尤粹群史。嗜為詩，出語無塵俗氣，清新俊逸。』（見呂勉《槎軒集本傳》）

是年四月，修治黃河，發民工十三萬，軍隊二萬，民工在黃陵岡掘得石人，背刻『莫道石人一隻眼，此物一出天下反。』係白蓮都首領韓山童所埋。五月，韓山童等準備起義，事泄被捕殺。五月，劉福通起義於潁州（今安徽阜陽），號紅巾軍。八月徐壽輝在蘄州起義，亦稱紅巾軍，十月在蘄水（今湖北浠水），國號天完，年號治平。

十一月黃河堤成，翰林承旨歐陽玄撰《至正河防記》。

一三五二年　至正十二年　壬辰　十七歲

郭子興等起義，攻克濠州（今安徽鳳陽），朱元璋參加起義軍，任九夫長。

一三五三年　至正十三年　癸巳　十八歲

聘青丘鉅室周仲達女，曾在周氏家題《蘆雁圖》絶句云：『西風吹折荻花枝，好鳥飛來羽翼垂；沙闊水寒魚不見，滿身霜露立多時。』因高家道中落，周氏為擇日成婚。『日課詩五首，久而恐不精，日二首，後一首，皆工緻沉著，不經人道語，然有以當乎人心，而不知手足之舞蹈也。』（見呂勉《槎軒集本傳》）

朱元璋在郭子興軍中任鎮撫。

泰州鹽販張士誠起義，攻克泰州、高郵等地。

泉州大饑，死者無數。

一三五四年　至正十四年　甲午　十九歲

朱元璋在郭子興軍中升任總管。

張士誠在高郵稱誠王，國號大周，年號曰天祐。

畫家黃公望卒（一二六九——一三五四）。著有《寫山水訣》。

畫家吳鎮卒（一二八〇——一三五四）。著有《梅道人遺墨》。

一三五五年　至正十五年　乙未　二十歲

朱元璋為都元師。

紀巾軍劉福通立韓山童子林兒為帝，號小明王，建都亳州，國號宋，年號龍鳳。

一三五六年　至正十六年　丙申　二十一歲

朱元璋克金陵，改集慶路為應天府。

張士誠在隆平府稱周王，取湖州，破杭州，任饒介為行省參政，分守吴中，聞高啓名，使召之再，雖避久之，强而後往，座上以倪雲林竹木圖命題，以木、緑、典為韵，即席答云：『主人原非段幹木，一瓢倒瀉瀟湘緑；踰垣為惜酒在尊，飲餘自鼓無弦曲。』饒大驚異，以為上客。

作《梅節婦傳》、《送人戍梁溪》、《燕客次蔡參軍韵》、《退思齋》、《陪臨州公遊天池》等。

一三五七年　至正十七年　丁酉　二十二歲

學者歐陽玄卒（一二七三——一三五七）。著有《圭齋文集》。

學者吕思誠卒（一二九三——一三五七）。曾任國子祭酒。

沈度生。

方孝孺生。

張士誠兵敗降元。

朱元璋攻取寧國路與揚州路。

天完將明玉珍據成都。

一三五八年　至正十八年　戊戌　二十三歲

作《青丘子歌》、《甫里即事》、《送張貢士會試》、《謁甫里祠》、《次韵春日漫興》、《為外舅題畫》、《吴越紀游》等。時依外舅居吴淞江之青丘，自號青丘子。至冬，出遊吴、越。

一三五九年　至正十九年　己亥　二十四歲

作《郭芳卿弟子陳氏歌》、《築城詞》等。

畫家、詩人王冕卒(一二八七——一三五九)。著有《竹齋集》

一三六〇年　至正二十年　庚子　二十五歲

作《送王禛赴大都》等。

陳友諒殺徐壽輝,自稱漢帝,年號大興。

明玉珍在川自稱隴蜀王。

一三六一年　至正二十一年　辛丑　二十六歲

作《贈薛相士》等。仍寓青丘。

明玉珍在四川稱帝,國號夏。

朱元璋為吴國公。

一三六二年　至正二十二年　壬寅　二十七歲

作《九月九日游天平山記》、《遊天平山》、《别城中故居》、《婁江吟稿》等。時寓居婁江。

(《吴地記》:『松江東北行七十里,得三江口,東北入海,為婁江。』)

一三六三年　至正二十三年　癸卯　二十八歲

作《送錢塘施輝序》、《送劉侯序》、《癸卯九日》、《宫女圖》等。

朱元璋與陳友諒在鄱陽湖决戰,陳敗死。

張士誠自稱吴王。

一三六四年　至正二十四年　甲辰　二十九歲

朱元璋建國號曰吴。設起居注二員,以宋濂、魏觀任之。

一三六五年　至正二十五年　乙巳　三十歲

作《送二賈序》、《答衍師見贈》、《練圻老人農隱》等。時居郡中(蘇州)。

楊士奇生。

一三六六年　至正二十六年　丙午　三十一歲

作《送顧倅序》、《旱蛩賦》等。

夏主明玉珍卒（一三三一——一三六六），子昇繼位，次年改元開熙。

宋主韓林兒卒。

朱元璋發《平周檄》，大舉進攻張士誠。

一三六七年　至正二十七年　丁未　三十二歲

作《答余左司元夕會飲》、《見花憶亡女書》、《雨中春望》、《重午書事》、《吊七姬》、《送家兄西遷》、《哭臨川公》、《聞家兄謫壽州》、《夢鐘離兩兄》、《兵後出郭》、《志西廢塢》、《秋日江居七首》等。

因戰亂移居江上。　自謂『自戊戌至丁未，得詩七百三十二篇，題之曰《缶鳴集》。』次女卒。

朱元璋克平江，執吳王張士誠，張自縊死。

方國珍降於朱元璋。　朱元璋始稱吳元年，令設文武科取士。　改平江路為蘇州府。

一三六八年　明洪武元年　至正二十八年　戊申　三十三歲

作《亂後經婁江舊館》、《愛竹軒》、《幻住精舍》、《袁憲史由湖廣調福建》、《兵後逢張孝廉醇》、《次韵周誼秀才》、《江鄉吹簫》、《范園看杏花》等。　仍寓居江上。

正月，朱元璋在應天府即帝位，國號明。

八月，明軍占領元大都，元亡。

九月，下詔求賢。

十一月，建大本堂，以起居注魏觀為太子説書。

十二月，詔修《元史》。

一三六九年　明洪武二年　己酉　三十四歲

是年二月以薦修《元史》赴金陵，寓天界寺。

作有《元史·歷志序》、《列女傳序》、《會宿鶴瓢山房將赴召不預》、《别内》、《將赴金陵泊閶門》、《赴京道中逢鄉友》、《赴京留別》、《發土橋》、《過八岡》、《白鶴溪》、《次丹陽》、《寓天界寺》、《登天界寺鐘樓》、《至京師觀燈》、《聞雨聲憶故園》、《登金陵雨花臺望大江》、《早至闕候朝》、《寒食逢杜賢良飲》、《見花憶故園》、《己酉初度》、《雨中登天界西閣》、《親舊寄酒》、《天界玩月》、《寄張祠部》、《送陳秀才》、《送葛省郎》、《送聯書記》、《送傅侍郎》、《得二女消息》(共有三女，二女故後，尚有長、幼二女)、《夜坐天界》、《嘗吴粳》、《送金判官》、《賦得烏衣巷》、《登雨花臺》、《答内寄》、《真氏女》、《送李架閣》、《送王哲》、《望茅山》、《贈楊滎陽》、《天界玩月》、《初入京寓天界寺西閣》、《對辛夷懷徐七》、《送許先生》、《送證上人》、《送王孝廉》、《奉遊西園》、《會宿成均》、《送錢判官》、《送劉省郎》、《胡普二博士同宿》、《至日夜坐送舒征士》、《聖壽節》、《甘露降後庭》、《冬至車駕南郊》、《禁中雪》、《雪夜呈危宋二院長》、《奉天殿進元史》、《九月賜糕》、《送王錡赴北平》、《送哲明府》、《寄丁二侃》、《寄徐記室》、《得故人書因寄》、《晚過清溪》、《晚晴》、《送朱謝二博士還吴》、《送内兄周誼還江上》、《京師苦寒》、《晚登南岡》、《晚晴遠眺》等。

文學家顧瑛(一三一〇——一三六九)卒，著有《玉山璞稿》。

八月，《元史》成，中書表進，詔賜纂修之士一十六人銀幣。

解縉生。

一三七〇年　洪武三年　庚戌　三十五歲

是歲移家至金陵，由天界遷寓鍾山里第。

正月，開平王二子侍學東宫，奉命授之經。

二月，授翰林院編修。

作《志夢》、《喻彀》、《送樊參議赴江西參政序》、《送徐先生歸嚴陵序》、《安晚堂記》、《歸養堂記》、《封建賀東宫牋》、《客中述懷》、《京師寓廨》、《家人至京》、《早春侍皇太子遊東苑》、《送高麗使張子温》、《清明呈館中諸公》、《喜逢董卿》、《衍師見訪鍾山里第》、《送賈文學試畢歸吴》、《四月朔日休沐》、《題王翰林畫蘭》、《奉迎車駕享廟還官》、《風雨早朝》、《謝賜衣》、《西清對雨》、《宿太廟》、《春日遇直》、《曉出趨朝》、《送顧式》、《觀鵓》、《夢姐》、《同謝國史遊鍾山》、《追挽恭孝先生》、《封建親王賜宴》、《楊滎陽赴召至京》、《早出鍾山門未開》、《京師午日》、《京師秋興》、《辭户部東還出都門》、《酬謝翰林》、《重過甘露寺》、《過白鶴溪》、《歸吴至楓橋》、《送徐山人還蜀山》、《至吴淞江》、《歸田園》、《南寺尋悟公》、《睡覺》、《訪李錬師》、《效樂天》、《至蓮村》、《題高彦敬畫》、《天平山》、《始歸江上》、《嫣蛙子歌》、《臘月二十四日》、《城南柳》、《秋柳》等。時詩人雖被召入都為官，但終與當權者不合而愁悶，作《秋柳》詩云：『欲挽長條已不堪，都門無復舊毿毿；此時愁殺桓司馬，暮雨秋風滿漢南。』借秋柳與桓溫之典故，以喻年華之流逝與壯志之不酬。

七月，帝御闕樓召對，擢户部侍郎，以『踰冒進用』為辭懇求辭官，給金幣放歸。旋歸里，復居江上之青丘。作《姑蘇雜詠》，至洪武四年十二月告成。

九月，《禮書》成。以魏觀為太常卿，改侍讀學士，尋遷祭酒。

文學家楊維楨（一二九六——一三七〇）卒。著有《東維子集》等。

陳基卒。（與高啓同修《元史》）

一三七一年　洪武四年　辛亥　三十六歲

由江上移居虎丘，未幾還城南。

作有《送丁至恭省親序》、《胡君墓誌銘》、《姑蘇雜詠序》、《雨中曉卧》、《江上看花》、《贈沈蒙泉》、《贈治冠梁生》、《喜聞王師下蜀》、《丁孝廉惠冠巾》、《答胡博士二十韵》、《端陽寫懷》等。

六月，貶魏觀為龍南令，復召為禮部主事。

一三七二年　洪武五年　壬子　三十七歲

十月，以禮部主事魏觀為蘇州府知府。

時高居城南，以與魏觀有舊，相與往還。

作有《從兄彰墓誌》、《陳希文墓誌》、《陳夫人許氏誌》、《跋吕魏詩後》、《勸農文》、《兜羅被》、《江上晚歸》、《南州野人》、《雨後讀待制詩》、《九日》等。

一三七三年　洪武六年　癸丑　三十八歲

是年春，自城南徙居夏侯里。子祖授生，後殤。

作有《槎軒記》、《子祖授生》、《郡治上梁》、《出郊抵東屯五首》、《嬀蜼太史自海上入郭》、《會宿城西》、《春草軒懷王太史》、《雨中不寐》、《陪張水部過西橋》、《五禽言》等。

一三七四年　洪武七年　甲寅　三十九歲

蘇州知府魏觀以當時府署狹濕，而原府署被張士誠改為王宮，乃將其重修以便遷回事，御史張度告發，以復舊治被劾死。誣者又以高啓曾為魏觀撰『上梁文』而連坐，於九月被腰斬，時年三十九歲，其在明朝的日子還不到七年。

高啓從被捕到遇害，心裏很明白，自知不免，押解途中猶吟哦不絶，有『楓橋北望草斑斑，十去行人九不還。』『自知清澈原無愧，盍倩長江鑒此心』之句，當時『人無貴賤賢否，老少咸痛惜之』。（見呂勉《槎軒集本傳》）也可見當時文字獄之慘烈。

他身長七尺，有文武才，無書不讀，尤邃於群史。詩有《鳳臺》、《吹臺》、《江館》、《青丘》、《南樓》、《槎軒》、《姑蘇雜詠》諸集，凡二千餘首，自選有《缶鳴集》十二卷，九百多首。文曰《鳧藻》，詞曰《扣舷》。由於無後，其妻周氏弆藏其遺稿，授其姪周立。

直至他殉難二十九年後，即明永樂元年（公元一四〇三年）其著作纔由内姪周立為鏤版行世。永樂中，他的學生呂勉（字功懋）纔出示先生手稿《江館》等集，並為作傳，為了躲避此文字獄，藏稿達三十多年終獲天日。他殉難七十六歲後，即景泰初年（公元一四五〇年），儒士徐庸（字用理）掇拾遺佚，合為一編，名為《高太史大全集》，凡十八卷。至清雍正六年間，由金檀輯注的《高青丘詩集注》，被歷來認為是高啓詩集最完備的版本，則距其殉難又有三百五十四年矣！唯其被誣之『上梁文』則一直未見，現僅能見到《郡治上梁》詩。

高啓『善楷書，飄逸之氣，入人眉睫，行、草入妙。』

——明初陶宗儀：《書史會要》

『善楷書，飄逸之氣，入人眉睫，行、草入妙，詩入能品。評者云：「詩比青蓮，書高白練」。』明朱謀垔：《續書史會要》

附：僅見之高啟書法作品簡目：

一、行楷題仕女圖詩　現藏北京故宮博物院

二、行楷題張雨自書詩跋　現藏吉林省博物館

三、楷書詩（晴山堂法帖）現藏江蘇省江陰市馬鎮徐霞客故居

四、行楷題定武蘭亭序跋　現藏日本東京高島菊次郎

五、草書題趙孟頫駿馬詩三首　現私人收藏

六、跋米元暉畫　見文物出版社《中國古代書畫圖目》第二集

七、古弁一高士五古　見《續書史會要補證》內載之按語

八、徐賁詩　見仝上

圖書在版編目(CIP)數據

任熊評傳四種/周金冠著. –杭州:西泠印社出版社,2004.11

ISBN 7–80517–836–4

Ⅰ.任… Ⅱ.周… Ⅲ.①任熊(1823~1857)–評傳②高啟(1336~1374)–評傳③龔橙(1817~)–評傳④曾衍東(1751~)–評傳 Ⅳ.K825.6

中國版本圖書館CIP數據核字(2004)第118349號

任熊評傳四種 (一函四册)

出版 西泠印社

發行 華寶齋書社

印刷 杭州富陽古籍印刷廠

裝訂 (浙江省富陽市江濱東大道二一號)

版次 二〇〇四年十一月第一版第一次印刷

印數 一——三〇〇

定價 叁佰捌拾圓

責任編輯 張金鴻

ISBN 7-80517-836-4

ISBN 7–80517–836–4/K·837